Traduction française de Paul Beyle

Titre original "Crocodile's Masterpiece",
Andersen Press ltd, Londres.

Loi N°49956 du 16 juillet 1949,
sur les publications destinées à la jeunesse: septembre 1991
Dépôt légal: septembre 1991

Imprimé en Italie par *Grafiche AZ*, Vérone.

Max Velthuijs

Le Chef-d'œuvre de Crocodile

PASTEL
l'école des loisirs

Crocodile était un grand artiste.
Il travaillait sans relâche;
chaque jour, il peignait un nouveau tableau.
Malheureusement, personne ne lui achetait jamais rien.

Un jour, Éléphant emménagea dans la maison voisine.
Éléphant aimait beaucoup sa nouvelle maison. Pourtant,
il manquait quelque chose pour la rendre vraiment agréable.
"Un beau tableau au mur. Voilà ce qu'il manque", se dit-il.
"Mon voisin est un artiste. Si j'allais le saluer?"

“Heureux de faire ta connaissance”, dit Crocodile.
“Entre. Que puis-je pour toi?”
“Je voudrais acheter un tableau pour décorer ma maison”, répondit Éléphant. Crocodile était ravi. Il jeta aussitôt son pinceau dans un coin et sortit ses tableaux.

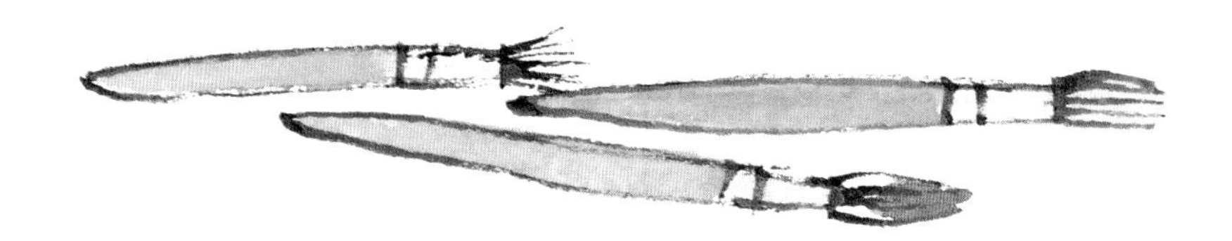

Éléphant admira le coucher de soleil sur les montagnes,
le bateau voguant sur la mer, le moulin à vent hollandais
et beaucoup d'autres toiles: il les trouvait très belles!
Laquelle choisir? Il aurait voulu les acheter toutes
mais il n'avait pas assez d'argent.
"J'ai une idée", dit Crocodile. "Je vais peindre un tableau
vraiment original. Rien que pour toi. Un tableau contenant
tout ce que tu aimerais voir! Reviens la semaine prochaine."

Éléphant rentra chez lui tout excité.
C’est très long une semaine quand on attend…

Il peignit sa maison et nettoya son jardin.

Puis il relut les journaux de la semaine précédente.
Le temps passait lentement.
Enfin le grand jour arriva.

Crocodile l'accueillit avec chaleur. Il était évident qu'il avait beaucoup travaillé: des pinceaux et des tubes de couleurs jonchaient le sol et sa blouse était couverte de taches. Un sourire mystérieux se lisait sur son visage. Il prit un tableau et le montra à Éléphant.

“Voilà!” dit-il. Il était fier de lui.
“Mais Croc!” s’écria Éléphant stupéfait, “il est tout blanc!”
“Il paraît blanc”, corrigea Crocodile avec calme.
“Maintenant, pense à une image et ferme les yeux.”

“Une scène de neige”, dit Éléphant et il ferma les yeux. A sa grande surprise, un magnifique paysage d’hiver apparut, exactement comme celui qu’il avait déjà vu sur une carte de Noël. “Fantastique!” dit-il. “Je le prends!” Il paya et se précipita chez lui.

Éléphant accrocha la toile au mur du salon
et s'installa confortablement en face d'elle.
Puis il ferma les yeux.

Il vit d’abord un moulin à vent hollandais
avec des nuages blancs dans le ciel,
exactement comme il le souhaitait.

Ensuite il vit une forêt tropicale
avec des montagnes bleues et un coucher de soleil.

Soudain il vit un cavalier. C’était lui, Éléphant!
Il éperonna le cheval et disparut dans la nuit.

Le tableau n’arrêtait pas de changer.
“Crocodile avait raison”, pensa Éléphant.
“C’est un chef-d’œuvre!”
Ainsi passaient les jours, Éléphant quittait de moins en moins son fauteuil.
Il négligeait de plus en plus son jardin.

Une nuit où il faisait très chaud, Éléphant n'arrivait pas à s'endormir. Il se tournait et se retournait dans son lit. "C'est dommage que mon chef-d'œuvre ne soit pas dans ma chambre, je pourrais contempler mon paysage de neige", pensa-t-il. Mais au même moment, il vit distinctement le petit village avec des montagnes blanches. Des flocons de neige tourbillonnaient dans un ciel gris. "Que se passe-t-il?" s'écria Éléphant.

Il imagina alors d'autres scènes et, à sa grande surprise, elles apparaissaient aussitôt devant ses yeux, quelle que fût la pièce où il se trouvait.

Pourtant,
le chef-d'œuvre n'avait pas quitté le mur du salon.

Le lendemain matin, Éléphant retourna chez son voisin.
"Croc, tu m'as roulé!" s'écria-t-il en colère.
"Je veux un vrai tableau!"
"Tu peux l'échanger", dit Crocodile sans se démonter.
"Choisis celui qui te plaît!"

De nouveau Éléphant ne put se décider.
Un coucher de soleil, un bateau voguant sur la mer, une nature morte avec des fruits…
Ils étaient tous si beaux!

Mais aucun tableau ne contenait autant de scènes
que le chef-d'œuvre.
"Qu'est-ce que je t'avais dit", ajouta Crocodile
avec modestie. "C'est une œuvre vraiment originale."
"Tu as raison", répondit Éléphant.

“Je comprends maintenant
que ton chef-d’œuvre a enrichi ma vie.”
Il reprit la toile blanche sous le bras et rentra chez lui.

Satisfait,
il s’installa dans son fauteuil et vécut heureux.

Et Crocodile?
Il peignit beaucoup d'autres toiles blanches.
Il est aujourd'hui célèbre et on peut admirer ses œuvres dans les musées du monde entier.